愿望售卖机

只赢不输手套

〔日〕山口道◎著　　〔日〕高井喜和◎绘　　吴鑑萍　邓汐雨◎译

U0657745

北京科学技术出版社
100层童书馆

小朋友，你听说过能帮人实现愿望的自动售卖机吗？

它能像火箭一样飞来飞去，卖的都是能帮人实现愿望的神奇商品，比如隐身苏打水、请假许可证、深

海漫步乘车券、情绪安抚口罩、跳马十级喷雾、数学

学霸眼镜……

商品应有尽有。

你的愿望是什么呢?

什么？玩"石头剪刀布"总是输，特别想赢一次？

喜欢职业摔跤，想成为真正的勇士？

想知道家里养的小猫咪在说什么？

"请交给我吧。能帮你实现愿望的火箭商店，现在开始营业。"

目录

只赢不输手套
白雪公主角色争夺战
001

总裁套装
职业摔跤股份有限公司
043

可爱动物多奇妙帽子
好想回到那一天
083

只赢不输手套

——白雪公主角色争夺战

"南瓜布丁还有三个，想吃的同学请到我这里来。"四年级一班的教室里响起生活老师的声音。

　　"学校营养师自制的布丁好吃极了，我特别爱吃。可是……"

　　就在久留美犹豫的时候，坐在她斜前方的玲奈站了起来。于是，久留美也决定去拿布丁。

　　一共三个布丁，有四个人来拿，生活老师让他们用"石头剪刀布"游戏淘汰一个人。

"玩'石头剪刀布'的话，总还是有机会的吧？"久留美心想。

"预备——石头、剪刀、布！"

久留美出的是"石头"，而另外三个人出的都是"布"。久留美一下子就被淘汰了。

"我拿到了！"大胃王英作高兴得跳了起来，连肚脐眼儿都露出来了。

"唉！刚才没去拿就好了。"回到座位后，久留美十分后悔。

我拿到了！

玲奈一边用勺子挖布丁吃，一边得意地瞥了久留美一眼，仿佛在说久留美玩"石头剪刀布"真是太弱了。

的确，久留美玩"石头剪刀布"总是输。班里用"石头剪刀布"游戏确定各项工作的负责人时，她从没当上她想当的广播员，总是只能当个生活委员、图书管理员、擦黑板负责人什么的。和小伙伴们玩捉迷藏时，她也总是第一个找人的人。

我怎么就这么不擅长玩"石头剪刀布"呢？想着想着，久留美都快哭了。

她上三年级的时候，他们班参加戏剧汇报演出的剧目是《桃太郎》。大家用"石头剪刀布"游戏定角色，她得到的是谁都不想演的吉备团子[1]。那天，她回家后真的哭了。

1　一种糯米团子，日本冈山县特产，日本民间故事《桃太郎》中桃太郎用来召唤动物一起出发的食物。——译者注

妈妈曾说，彩票之神不喜欢她。我觉得这个世界上一定有"石头剪刀布"之神，他一定不喜欢我。在回家的路上，久留美一边踢路边的小石子一边想。

突然，空中传来了奇怪的歌声。

噼噼啪啪，噗噜噗噜，嗒啦嗒啦，轰轰轰——

那是什么？一个闪耀着七彩光芒的东西慢慢地飞了过来……是气球吗？不对，好像是一艘小飞船。

这时，"小飞船"说话了。

"欢迎光临！本店即将开始营业。"

原来是一家商店在做宣传呀！是卖什么的呢？

久留美停下脚步，抬起了头，只见"小飞船"突然掉转方向朝她飞来。

咦？"小飞船"的尾部喷着火！

是……是火箭！它飞过来了！

久留美慌慌张张地跑到路边的停车场里。那枚

那是
什么？

火箭好像在追她，飞过来停在她的脑袋上方。接着，嗖的一声，它降落在停车场的一角。

咕咚！久留美咽了一口口水，小心翼翼地打量起面前的小火箭来。这是一枚胖墩墩的彩色火箭，顶端是红色的，下面有两盏闪着蓝色光芒的圆灯，就像它的眼睛。

久留美愣住了，一动也不动，像一座雕像。小火箭"看着"久留美，说道："顾客你好。"

久留美心想：它是在叫我吗？

"欢迎你光临本店。"

"明明是你主动靠近我。"

"让你久等了。"

"我可没有等你。"

久留美愈发觉得可疑。这时，奇怪的歌声再次响了起来。

噼噼啪啪，噗噜噗噜，嗒啦嗒啦，轰轰轰——

"能帮你实现愿望的火箭商店，现在开始营业。"小火箭说道。

"咦，火箭就是商店吗？ 我只听说过能配送商品的无人机，还没看见过从天而降的商店呢。"久留美自言自语。

歌声停止后，小火箭"眼睛"下方的两扇小窗嗡的一声打开了，几件商品出现在久留美眼前。原来是一台自动售卖机。

"心中所求，尽在店中。新奇有趣，难得一见。"自动售卖机做起了广告。

久留美松了一口气，突然对自动售卖机里的商品充满了好奇。

她慢慢地走过去，探头往里看了看。

高空气球泡泡糖、天才毕加索粉笔……

好有意思的商品呀！

"**超级便宜，超级便宜，全场五百元¹一件！**"自动售卖机闪起金光，大声叫卖。

久留美嘀咕了一句："天才毕加索粉笔是什么？"

"**用这支粉笔画画，你就能成为天才画家！**"自动售卖机认真地解释并问道，"**你想不想在教室的黑板上画一幅很酷的画？**"

"想呀！"久留美笑着回答。自动售卖机开心地晃了晃身子。

其他的商品也很有意思！

1　本书中的货币单位"元"均指日元。——编者注

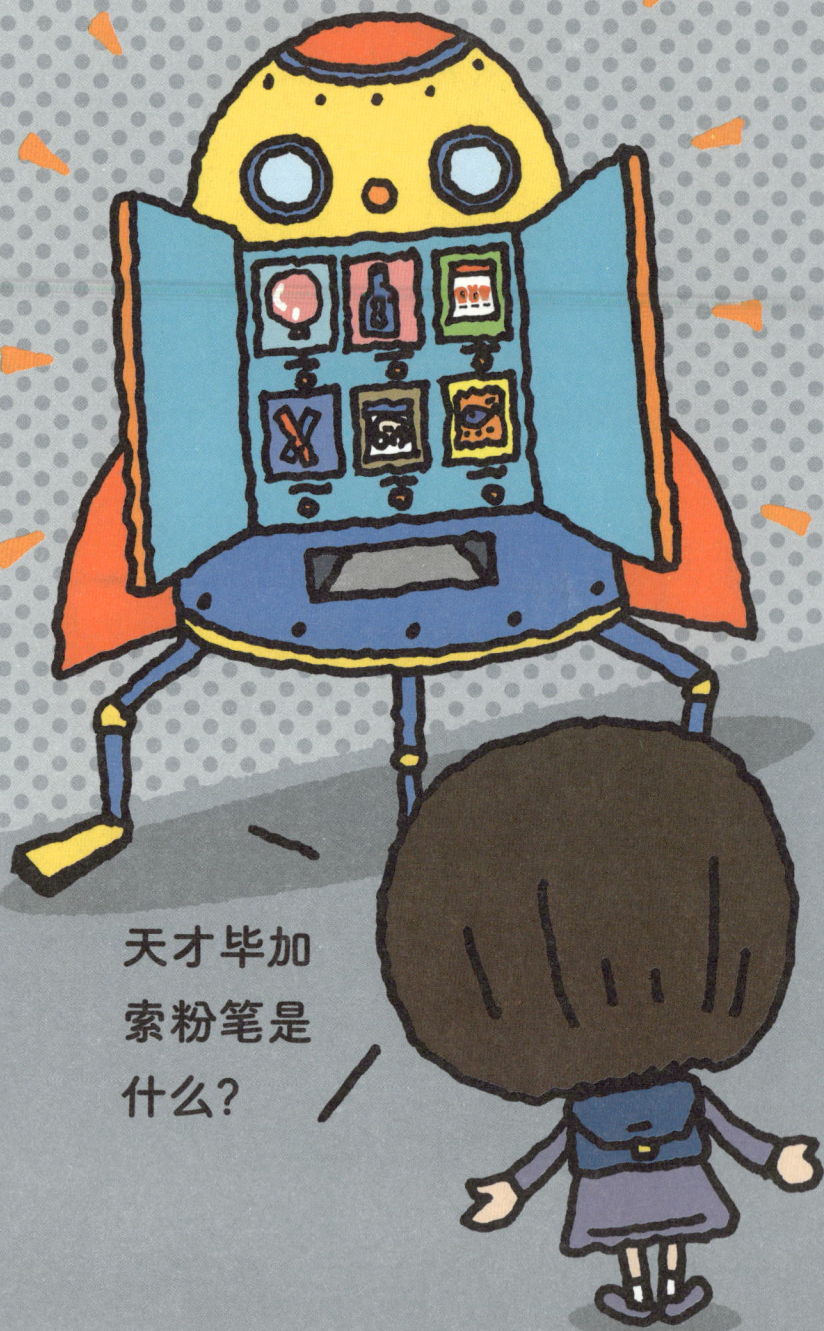

天才毕加
索粉笔是
什么？

隐身苏打水、可口午餐粉、总裁套装……

嗯，这些东西久留美全都想要。

突然，摆在右上角的一件商品吸引了她的目光。

只赢不输手套！

"今日主打商品——锵锵锵，专为'石头剪刀布'游戏设计的只赢不输手套！戴上它，玩'石头剪刀布'必胜！"

我想要！我真的很想要！久留美在心里呐喊。

久留美的手下意识地动了起来，她从书包的口袋里掏出了一枚面值为五百元的硬币。

自动售卖机上的灯一闪一闪。

"久留美，不要买！"一个声音在久留美的脑海里响起。

"久留美，好想要！"一个更大的声音紧接着也在她的脑海里响起。

哐当一声，她把硬币投进自动售卖机，然后按下了按键。

啪！

装着手套的白色袋子出现在出货口。袋子上的

"石头""剪刀""布"图案是红色的，就像用印章印上去的一样。

哇，这也许是"石头剪刀布"之神赐予我的礼物吧。

看着久留美喜笑颜开的样子，自动售卖机客客气气地说道："**感谢你购买只赢不输手套。能帮你实现愿望的火箭商店，期待你下次光临。**"

我可没光临你，是你主动找我的。久留美心想。

久留美欢天喜地地回到了家里。一进自己的房间，她就迫不及待地打开了袋子。

袋子里有三只薄薄的手套。手套是半透明的，材质有点儿像橡胶，又有点儿像皮，触感奇妙极了。每只手套的手腕部还有一个小小的金色火箭标志。

袋子的背面写着几句话：

一只可以用一天。

均码，不分左右。

不玩"石头剪刀布"的时候请勿使用。

"一只只赢不输手套只能用一天，我可不能随便用，得用在重要的事情上。"久留美暗暗决定。

令她没想到的是，第二天只赢不输手套就派上了用场。

"肉包子多了一个，想要的人过来参加'石头剪

刀布'游戏吧。"生活老师话音未落，好几个同学就站了起来。学校营养师自制的肉包子皮薄馅多，最受学生们欢迎。当然，久留美也非常喜欢吃。

最先跑过去的英作已经在擦口水了。

久留美看到玲奈不紧不慢地站起来后，悄悄地在课桌下面给右手戴上了只赢不输手套。

手套大小刚刚好，戴在手上就算对着阳光也看不出来。

"准备就绪，加油！"久留美给自己鼓了鼓劲。

玲奈看到久留美也来了，脸上露出了惊讶的表情，仿佛在说："十个人争一个肉包子，你玩'石头剪刀布'的运气那么差，上来干吗？"

"哼，我可不是之前

的我了。"久留美在心里暗暗回敬道。

想要肉包子的十个人围成了一个大圈。

"预备——石头、剪刀、布！"

十只手同时伸向圈内。

"呀，我出了'剪刀'——我没有出局！"

"石头、剪刀、布！"……

久留美感到不可思议极了。她的手不由自主地在"石头""剪刀""布"之间变换着，而且她每一局都留下了。

看到久留美到现在都没有被淘汰，英作哼了一声，一脸不满地回到了座位。现在，只剩下玲奈和久留美两人争肉包子了。

"咦？久留美居然能留到现在，这真是少见。"

"嗯，她今天好像运气很好。"

有同学在一旁交头接耳，小声议论。

对玩"石头剪刀布"很有自信的玲奈胸有成竹地说："如果我赢了，肉包子可以分你半个。我本来打算减肥的，没想到一不留神进了决赛。"

久留美有点儿生气，反击道："玲奈，既然你在减肥，那我赢了的话，就不用分你半个了吧？"

两人摩拳擦掌。

在全班同学的注视下，决赛开始了！

"石头、剪刀、布！"

久留美用力握拳，出了"石头"。玲奈出了"剪刀"，她输了。

大家为久留美鼓起掌来。因为大家都知道她不擅长玩"石头剪刀布"，总是输。

回到座位后，久留美大口大口地吃着赢来的肉包子。

哇，真好吃！

她觉得这是她从出生到现在吃过的最好吃的肉包子。

放学后，久留美走在回家的路上。她今天朝气蓬勃，跟昨天有气无力的样子简直判若两人。

她想把自己获胜的好消息告诉自动售卖机，所以特意绕路来到昨天它降落的那个停车场，结果却没有找到它。它还真是神出鬼没呀。

不过，停车场的墙壁上却多了一幅粉笔画。五颜六色的宇宙中有一枚破破烂烂的小火箭，实在是太有趣了。

"哈哈，应该是有人买了天才毕加索粉笔吧。画得好棒！"久留美都有点儿想画画了。

她正在欣赏那幅画，突然听见一阵笑声，扭头一看，发现不远处的红绿灯旁站着四五个低年级男生，在他们身后有一个年龄差不多的男生背着好几个书包，跟跟跄跄地走着。

这有点儿过分了吧。久留美心想。

她再仔细一看，那个背着好几个书包的男生居然是自己的弟弟健太。她一下子就急了。健太比她小两岁，现在上二年级。

健太总算走到红绿灯那里了，他放下书包，立刻和先到的几个人围成一圈开始玩"石头剪刀布"，好像是在决定接下来由谁背书包。看到弟弟并没有受人欺负，久留美松了口气。

一定要赢啊，健太！她在心中为弟弟祈祷。

健太出的是"布"，其他人出的是"石头"。太好啦！

咦，为什么还是健太背书包呀？

"喂，健太明明赢了，为什么还让他背书包？"

"啊，姐姐。"

见久留美来了，其他几个男生慌慌张张地解释道："我们的规则就是赢的人替大家背书包。"

"什么？健太，是真的吗？"

"是真的。"健太低着头说，接着又小声补充了一句，"但是，只有我赢的时候是这样的。"

久留美愤怒地瞪大眼睛，握紧拳头。那几个男生有些害怕了。

"你们轮流跟我玩'石头剪刀布'，如果我每次都赢，你们以后就不许刁难健太了，可以吗？"

原来，健太的姐姐握紧拳头不是要打架，而是要用"石头剪刀布"定胜负呀。那几个男生松了口气，欣然接受了挑战。

"三局定胜负，预备——"

"石头、剪刀、布！"

"石头、剪刀、布！"……

久留美对上每一个男生都是连赢两局，连平局都没有。

"姐姐，你太酷了！"

"走，回家吧，健太。"

"好。再见。"健太朝那几个男生挥了挥手，他们也挥了挥手回应他。

　　久留美回头看了看，发现那几个男生都一脸崇拜地看着自己。她笑着也朝他们挥了挥手，但是不知为何，那只手不自觉地摆成了"剪刀"。

　　呀，这是因为我戴了只赢不输手套吧？现在我可不是在玩"石头剪刀布"，而是在告别。不过，这个手势也可以看作代表胜利的"V"，很应景。

　　沐浴着夕阳的余晖，久留美一边想，一边牵着弟弟的手回家了。

一年一度的戏剧汇报演出就要开始了。

演出的时候有现场观众投票的环节，为了拔得头筹，各班班主任都精心挑选了演出剧目。

森川老师是四年级一班的班主任，他一脸笑容地走进教室，环视了一圈后宣布道："咱们班的……演出剧目为……《白雪公主》。"

"啊……"男生们很失望。

不过，女生们大都很高兴。

"不要'啊'了！去年咱们班表演了你们喜欢的《桃太郎》，结果你们演砸了。"

去年，扮演恶鬼的男生们过于活跃，甚至把扮演桃太郎的男生逼得从舞台上掉了下去，最后居然是恶鬼赢了。这帮男生真是太不靠谱了！

森川老师在黑板上工工整整地写出了《白雪公主》中的角色：

白雪公主、王子、国王、王后、（王后乔装打扮成的）卖东西的老太婆、七个小矮人、猎人、森林里的动物、城堡里的人……

"角色很多，大家都有机会登场。明天我们分配角色，如果好几个人想演同一个角色，那么我们就用'石头剪刀布'来确定由谁扮演。"

"石头剪刀布"！

久留美窃喜不已。这时，玲奈突然举起了手。

"我觉得王子由武宏

同学来演比较好。"

"同意!"其他女生一边鼓掌一边高兴地喊道。

武宏擅长踢足球,钢琴也弹得很好,在班里人气很高。坐在最后一排的他这会儿挠着头,惊讶地"啊"了一声,但是并没有反对的意思。

森川老师笑着点了点头,但还是说道:"可能还有别的同学也想演王子呢,我们明天再决定。"

玲奈偷偷看了看久留美,笑了一下,仿佛在说:"白雪公主当然是我啊,我这么可爱,肯定要演主角。"

"我回来了。"

久留美高兴地哼着歌走进了家门。她很小的时候就看过迪士尼的电影《白雪公主和七个小矮人》,这部电影的故事很精彩,歌曲更是好听,比如小矮人们唱的《嗨吼》(*Heigh-ho*)、浪漫的《终有一天我的王子会到来》(*Some Day My Prince Will*

Come）……久留美最喜欢的是白雪公主一边打扫卫生一边哼唱的《吹着口哨愉快工作》（*Whistle While You Work*），她能完整地把它唱出来。

"我想扮演白雪公主，在舞台上唱歌。"吃晚饭时久留美提到了戏剧汇报演出的事。

"演王子的肯定是武宏同学吧？他从幼儿园开始就一直很受欢迎。"妈妈对这件事很感兴趣，连她都觉得王子非武宏莫属。

"谁演王子对我来说无所谓，我反正是想上台唱我喜欢的歌。"

爸爸一边喝饮料，一边哗啦哗啦地翻看森川老师写的剧本，看到精彩的地方还不知不觉念出了声：

"王子亲吻了沉睡的白雪公主。接着，他抱起了刚刚醒来的公主……"

"好幸福的白雪公主啊，真让人羡慕！妈妈都有点儿想替你演了呢。"

"你在说什么傻话呢！"爸爸好像有点儿不高兴。

妈妈接着说："不过，女生肯定都想演白雪公主，你们得用'石头剪刀布'决定由谁来演吧？"

"姐姐肯定能胜出！"一直低头大口吃饭的健太突然大声说道，"姐姐玩'石头剪刀布'超级厉害，绝对能胜出！"

"啊……对，我最近的确比较厉害，哈哈哈。"

"真的吗？"妈妈和爸爸一脸疑惑。

久留美回到自己的房间后，盯着神奇的只赢不输手套。

三只手套已经用了一只，还

剩两只。这两只必须用在特别重要的事情上。

虽然久留美平时玩"石头剪刀布"总是输，但是一想到现在只要她想赢就一定能赢，她的内心就平静下来了。

"久留美，成为白雪公主，唱自己最喜欢的歌吧！"久留美给自己打气。只赢不输手套上的火箭标志闪着耀眼的金光，仿佛在回应她。

第二天早晨，久留美一边小声哼着歌，一边朝学校走去。突然，一个男生从后面跑来，对她说："今天就要决定各个角色的扮演者了。"

原来是武宏，久留美吓了一跳。

"你十有八九会是王子的扮演者，真好。"

"你想演哪个角色呢？"

"我？嗯……"

要不要说实话呢？久留美有些犹豫。

这时，武宏说："你尝试一下白雪公主这个角色吧！"

"啊，为什么？"

"因为你从幼儿园起唱歌就很好听呀！拜拜。"

说完，武宏就飞快地跑了。

这还是第一次有人夸她唱歌好听呢，久留美的心里仿佛燃起了一团火。

"久留美，怎么啦？你怎么站在路中央？"一位同班同学从后面走来，疑惑地盯着久留美的脸说道，"你是忘了什么吗？"

"啊，是的。"

没错，她忘记走路了。

开班会时，森川老师组织大家确定各个角色的扮演者。角色争夺战出乎意料地激烈。首先，在确定王子的扮演者时班里就掀起了一场风波。

"根据大家的推荐，王子由武宏同学扮演，没有问题吧？" 森川老师微笑着说。

这时，英作一下子站了起来。

"我也想演王子！我把王子的台词全都背下来了，嘿嘿。"

就算女生们齐齐发出不赞成的嘘声，他也是一副不在乎的样子。

　　英作没有王子的气质，有时候遇到两个并排走的女孩子，他甚至会硬从两人中间穿过去。

　　森川老师笑着说道："英作同学，你身体壮实，要不要演森林里强壮的熊啊？"

　　"不，我想演王子！不是要用'石头剪刀布'来决定吗？来吧！"

　　于是，森川老师叫武宏和英作上前。大家都屏住呼吸，看二人一决胜负。

　　"好了，开始吧。石头、剪刀、布！"

　　胖乎乎的手出的是"布"，很快就丧气地垂了下来，而漂亮的剪刀手高高举过头顶，宣告这场角色争夺战结束。教室里响起了祝贺王子诞生的掌声与欢笑声。

森川老师摸了摸英作的头。英作待心情平复后，决定扮演森林里强壮的熊。

因为大家都考虑过自己想演的角色了，所以接下来的几个角色定得还算顺利。

扮演王后的是一位高个子女生，王后乔装打扮成的卖东西的老太婆由一位淘气的男生扮演，魔镜由一位想成为配音演员的女生扮演，猎人则由一位掰手腕很厉害的男生扮演。七个小矮人也是很受欢迎的角色，最终四位男生和三位女生在"石头剪刀布"游戏中胜出。

接下来要决定的是白雪公主的扮演者，以及森林里的动物和城堡里的人的扮演者。森川老师的声音一下子提高了许多。

"接下来要决定主角的扮演者。想演白雪公主的人，请到前面来。"

久留美看了看自己的右手，虽说谁都看不见戴在这只手上的只赢不输手套，但是久留美全部的信心和力量都来自它。

有了它，我一定能扮演白雪公主。久留美在心中给自己打气。

因为王子的扮演者很受欢迎，所以很多女孩都想扮演白雪公主，她们陆陆续续走到了前面。

看着一张张满是激动和紧张的脸庞，久留美内心突然有些忐忑。

"我这样做，对她们是不是不太公平？"

但是，当她看到玲奈盯着她并且站起来往前面走的时候，她握紧了右手，也向前面走去。

"哇，有八位同学。白雪公主这个角色究竟会花落谁家呢？真让人期待呀。"

森川老师把前面的课桌挪开，让八个人围成一圈。

决定命运的"石头剪刀布"游戏开始了。

"预备——石头、剪刀、布!"

"平局,再来!"

接下来的这一局三个人出"石头",五个人出"布"。出"石头"的被淘汰了。

"接着来!石头、剪刀、布!"

这一局有三个人出"剪刀",两个人出"布"。又有两人下场了。

场上只剩下久留美、玲奈和会跳芭蕾的真由三个人,气氛更紧张了。

"开始啦!石头、剪刀、布!"

玲奈和久留美出的是"石头",真由出的是"剪刀"。真由输了,支持她的同学遗憾地叹息着。

真由的皮肤很好,白里透红,说不定她才是最适合演白雪公主的人。久留美暗暗想着,心里感觉有

些刺痛。

突然，玲奈直直地盯着久留美说："你又赢了。你怎么突然变得这么厉害了呢？这太不正常了。"

久留美下意识地将右手藏到身后。

"只……只是运气好而已。"

玲奈紧紧地皱着眉头说："去年的角色争夺战我就输了，没拿到我想要的角色。在那之后我看了很多关于'石头剪刀布'游戏技巧的书，而且每天都勤奋练习，所以现在的我才这么厉害。据我所知，你并没有勤奋练习。"

是的，去年的角色争夺战玲奈也输了。演出的时候她扮演的是红鬼[1]，脸被画得像通红的梅干。

"我是绝对不会输给你的，我才不会把白雪公主让给你演！"玲奈态度强硬地对久留美说。她的嘴唇颤抖着，眼里隐隐含着泪。

玲奈这么想成为主角吗？

其实，久留美和玲奈以前关系很好，是最近才渐渐生疏的。久留美的心里突然有些难受。

"那么，究竟谁能饰演白雪公主呢？让我们拭目以待。"

听到森川老师轻快的声音，久留美呼了一口气。她看了看自己的右手，心中有了决定。

1　红鬼是《桃太郎》里的一个反派角色。——译者注

然后，她笑着看向玲奈，说道："不管谁赢，我们都永远是好朋友。"

决赛开始了："预备——石头、剪刀、布！"

玲奈颤抖着手，出了"剪刀"。久留美出的是……

"白雪公主，由玲奈同学出演！"

玲奈高兴得跳了起来，还兴奋地尖叫着。教室里响起祝贺的掌声。

原来，久留美用的是没戴只赢不输手套的左手，她出的是"布"。

她输给了玲奈。但是，她的心情却不差。

"果然，我是真的不擅长玩'石头剪刀布'呢。"

全部角色都确定下来后，武宏好像和森川老师说了些什么，森川老师把剧本略微修改了一下，由久留美扮演的小鸟代替白雪公主唱歌，而真由扮演的松鼠也会配合小鸟的歌声跳舞。因此，最终大家对自己

要演的角色都非常满意。

　　排练的时候，玲奈表示自己非常喜欢久留美的歌声。王子非常帅气，很受大家欢迎。每天放学后大家都排练得很开心。

　　森川老师认真地准备好了服装，所有人齐心协力制作了舞台布景。真是太棒了！

　　但是……演出当天，发生了意料之外的事。

　　武宏得了流感，发起了高烧，无法参加演出，只能由英作代替他出演王子，因为英作记住了王子的所有台词。

　　唉，真是糟糕。

　　演出开始了。小鸟的歌声悦耳，松鼠的舞姿轻盈，白雪公主的表演堪称完美，观众们都沉醉于其中。不过，当快要把衣服撑破的王子上场时，观众们哄堂大笑。

王子慢慢走向沉睡的白雪公主。突然，公主跳起来跑开了。接下来，一边大声念台词一边拼命追公主的王子与奋力保护公主的七个小矮人展开了激烈的战斗，就连王后也站在公主那边，朝王子扔毒苹果。于是，这场演出变成了大家齐心协力干掉假扮王子的

饥饿棕熊。

王子的演出服最终还是被撑破了。在王子差点儿露出肚脐时，森川老师赶紧拉下了幕布。那天，四年级一班表演的《白雪公主与熊王子》收获的掌声最多，可以说是大获成功。

久留美回家后，健太飞快地跑过来说："我

和朋友们都笑得从椅子上掉下去了。还有，姐姐唱歌非常好听。"

"哈哈哈。"

"姐姐，要是你演白雪公主就更好了！玩'石头剪刀布'的时候你怎么会输呢？"

如果当时用右手玩最后一局，结果会是什么样子呢？我还能和大家相处得这么融洽吗？久留美心想。

"是'石头剪刀布'之神让我输的。"

"哦。"健太似懂非懂地点了点头。

只赢不输手套还剩一只，总有一天会用到的。

久留美一边看着金色的火箭标志，一边小声地哼着《终有一天我的王子会到来》。

总裁套装

职业摔跤股份有限公司

小靖拎着购物袋，去青空商业街的蔬菜店给家里买菜。他经常干这种跑腿的活儿。

　　这会儿他的脑海里全是今天早上灵感爆发时想出来的职业摔跤必杀技——将身材高大的对手打倒在地，迅速用双手双脚锁住他的头，然后保持这个姿势翻滚起来。面对这样的必杀技，无论多么厉害的对手，都会惨叫认输。他决定给这一招取个名字叫"锁头章鱼卷"。

　　哇！他仿佛看到自己站在被围绳围住的擂台正

中央举起手臂以示胜利。想着想着，他差点儿把购物袋举了起来。

小靖很喜欢观看职业摔跤比赛。他一看到身材魁梧的选手们使出各自的看家本领顽强拼搏的样子，就会热血沸腾，全身充满力量。

小靖的爸爸也非常喜欢观看职业摔跤比赛。去年小靖过生日那天，爸爸还带他去现场看了一场比赛。健壮的选手们在厚厚的垫子上挥洒汗水，激烈对抗。身体摔倒的声音，胜利者吼叫的声音，还有闪闪发亮的冠军腰带……每每想起这些，小靖都会深深陶醉于其中。

因为电视台大多在深夜直播职业摔跤比赛，所以小靖和爸爸一般都是等重播的时候看。爸爸喝着啤酒，小靖喝着牛奶，两人一起为选手加油，气氛相当和谐。

除了观看比赛，研究新的必杀技也是父子俩的一大乐事。小靖的爸爸想出来的必杀技有"海獭叩击""艺术游泳剪""宽恕头功"……这些招式虽然有些奇怪，但是很有趣。

想到爸爸研究出来的那些必杀技，小靖哈哈大笑起来。不远处，就是青空商业街那与天空一样湛蓝的拱顶。

小靖觉得，跑腿买菜是个美差。在蔬菜店工作的大介先生也喜欢观看职业摔跤比赛，小靖觉得和他聊天是件很愉快的事。大介先生像职业摔跤选手那样，肌肉发达。据说，他工作时经常抡起萝卜、南瓜、西瓜等锻炼肌肉。

小靖想给大介先生讲讲"锁头章鱼卷"。

这条商业街很冷清，来往的客人很少，到处都是倒闭的店铺。突然，不远处传来了奇怪的歌声和吆喝声。

噼噼啪啪，噗噜噗噜，嗒啦嗒啦，轰轰轰——

"嗨，欢迎光临！欢迎光临！你的愿望是什么？想实现愿望的人，快点儿过来吧！本店开始营业啦！"

前些天关门的玩具店前面立着一台小靖从没见过的自动售卖机。它矮矮胖胖的，有一双圆圆的"眼睛"——两盏闪烁着蓝光的灯。

小靖心想：这是用来代替玩具店的吧。

就在这时，自动售卖机闪起金光，用职业摔跤比赛解说员的语气说："让你久等了！今天我们的主打商品是——锵锵锵，职业摔跤装备！职业摔跤装备！"

紧接着，它开始播放振奋人心的《运动员进行曲》。

"哇，职业摔跤装备！"小靖兴奋地冲了过去。

白鹭面具、棒槌腕带、万能铜锣、蝙蝠侠披风、蟹钳短裤、飞踢长靴、总裁套装、棕熊面具。

"哇，好有意思！拿来和朋友一起玩摔跤游戏太适合了。"

"你这个小家伙！居然要拿这些装备玩游戏？！"

自动售卖机发出一声怒吼，"眼睛"突然从蓝色变成了红色，把小靖吓了一跳。

"这些都是货真价实的职业摔跤装备！请不要小看本店！"

这竟然是一台会发怒的自动售卖机！小靖觉得更有趣了。

"你说的货真价实是什么意思？比如，穿上飞踢长靴……"

"一脚就能把对手踢飞。"

"戴上棒槌腕带……"

"一拳就能让对手再也站不起来。"

"穿着蟹钳短裤夹住对手的身体……"

"无论多么强大的对手都动弹不了。"

"哈哈，好厉害！"

听到小靖的夸奖，自动售卖机总算不生气了，"眼睛"变回了蓝色，语气也礼貌多了。

"万能铜锣也很厉害。请看那边。"

那边有一只乌鸦和一只野猫正一起翻垃圾箱，相处得非常融洽。

咣！铜锣声响起，乌鸦和野猫立刻瞪着对方打起架来。乌鸦哑哑叫着，一边飞踹，一边用嘴猛攻；野猫则发出低吼，用猫爪快速反击。这简直就跟职业摔跤比赛一模一样。

咣！铜锣声再次响起，乌鸦和野猫气喘吁吁地结束战斗，继续友好地

一起翻垃圾。

哇！也就是说——小靖咽了口唾沫——这些都是真正的职业摔跤装备！太厉害了！

小靖两眼放光："那白鹭面具呢？"

"戴上白鹭面具后，攻击对手的时候你能像白鹭那样轻快地跃起，并且在空中自由旋转。"

真是帅呆了！小靖眼前浮现出自己轻身飞跃，再疾踢而下的样子。

"另外那个面具呢？"

棕熊面具给人极强的压迫感。

"戴上棕熊面具后，你将力大无穷，抡一下手臂就

能打断一棵大树！"

"太厉害了！"

"快来购买你喜欢的商品吧，每样只要五百元！"

小靖的眼珠子滴溜溜地转着。看着自动售卖机里的商品，他不知该如何选择。他想都买下来，但是他的钱只够买一件。他从钱包里拿出五百元塞进了投币口。究竟按哪个按键呢？还是难以决定。最终，他的目光只在白鹭面具和棕熊面具之间徘徊。

白鹭面具真不错，但是棕熊面具也令人难以割舍。

就在这时，不远处传来了几个人说话的声音。

"咦？那里有一台奇怪的自动售卖机。"

"是谁把那么奇怪的东西放在这里的啊？"

"我还没见过这样的售卖机呢，过去看看吧。"

看到那几个人朝这边走过来，小靖焦急万分。

"随便哪个面具都行，看缘分吧。"他闭上眼睛，迅速按下一个按键。

一个金色的袋子掉了出来，小靖把它扔进购物袋，就匆忙跑开了。

"能帮你实现愿望的火箭商店，感谢你的惠顾。"

小靖气喘吁吁地穿过商业街，来到一个空无一人的小公园，才停下了脚步。

他忍不住笑了起来。

"我买的是一个帅气的白鹭面具，还是一个霸气的棕熊面具呢？"

小靖激动万分地从购物袋里取出那个金色的袋子，却发现袋子上写着"总裁套装"四个字。

他差点儿心脏骤停。

他在慌乱之中按错了按键！他买的既不是白鹭面具，也不是棕熊面具！他要去找自动售卖机更换！

小靖抓起购物袋离开公园，抄近路返回商业街。

回到商业街后，小靖先仔细观察了一番，发现四周没人，才飞快地跑到玩具店前。

看到玩具店门口空荡荡的，他差点儿哭了出来："自动售卖机，你去哪儿了？我要的是面具啊！"

最后，小靖只能闷闷不乐地回到那个小公园。他坐在长椅上，从购物袋里拽出那个鼓鼓囊囊的金色袋子。

总裁套装是什么？

小靖总觉得这件商品有些令人讨厌。他"唑啦"一下撕破袋子，里面的东西散落在长椅上。

秃顶假发套，加粗八字胡，甜甜圈式圆框眼镜。

太过分了！这是要他装扮成漫画里的小丑吗？

小靖的眼泪夺眶而出。

就在这时，有什么东西从被撕破的袋子里掉了出来。小靖捡起来一看，原来是一张名片，上面印着两个金色的字——"总裁"。

名片的背面印着一句话："请写上您喜欢的公司名和您的名字，我将为您创办这家公司。"

这是在耍我吧？

小靖气呼呼地把假发套戴在头上，又粘上粗粗的八字胡，最后戴上圆框眼镜。他想，事已至此，就装扮成这个样子去蔬菜店吧，无非是被大介先生嘲笑一番。

接着，他从购物袋里拿出之前写购物清单用的笔，笨拙地在名片的正面写下了自己喜欢的公司名和自己的名字。

小靖写完后，名片上的"总裁"两个字突然迸

职业摔跤股份有限公司

总裁

格雷特·靖

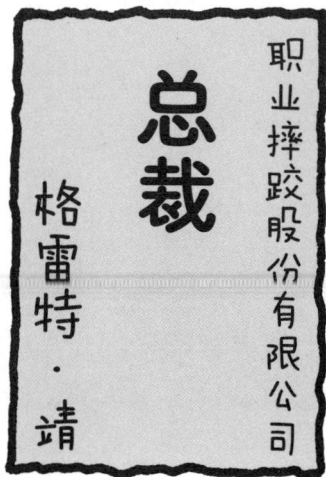

射出耀眼的金光。

小靖呵呵一笑，从长椅上站了起来，准备去买菜。

忽然，咚的一声，身后有什么东西重重地压在了他的双肩上。他吓了一跳，回头一看，是一双巨大的手，有拳击手套那么大。

他赶紧转身，发现一个彪形大汉正站在他身后。当看到罩在那大汉脸上的东西时，他不禁浑身发抖。

棕熊面具！

大汉用粗壮如树干的手臂紧紧抓住快要晕倒的小靖。

"我终于找到您了，总裁！"

"……总裁？"小靖低声嘟囔。

大汉的声音像棕熊的吼叫声一样响亮："是的，总裁。"

这个莫名其妙的人是谁？

"我不是总裁。而且，老师说过，不能随便和陌生人说话……"

戴着棕熊面具的大汉大笑起来。

"请您别开玩笑了，我笑得面具都错位了。我们

走吧。"

"去哪里？"

"当然是去您的职业摔跤股份有限公司啊。"

"真的有这家公司吗？"

彪形大汉又大笑起来。

"这不是您创建的公司吗？格雷特·靖总裁。"

戴着棕熊面具的彪形大汉看到小靖惊恐不已，便弯曲手臂，展示他如隆起的山峰般的发达肌肉。

"而我，就是您的左膀右臂棕熊专务董事。请原谅我多有冒犯，失礼了！"

他轻轻松松地把小靖举了起来，让小靖骑在他的脖子上。

"哇！"

"我们走吧。"

小靖脑子里一片空白，连呼救的声音都发不出来。在摇摇晃晃中，他使出全身的力气紧紧抓住大汉的头发。

他发现，周围的景色和平时很不一样。这大概是由于他坐在高处的缘故。

大汉把小靖带到了青空商业街。以前这里有一个鱼糕加工厂，小靖的爷爷还在里面工作过。不过，后来鱼糕加工厂倒闭了，厂房一直空着。

没想到，此刻厂房里竟然灯火通明，还传出了猛烈的撞击声和狂热的呐喊声。

咣！咚！砰！

"加油！""冲啊！"

小靖无意中往房顶上看了一眼，顿时吃惊地瞪大了眼睛。那里有一块招牌，上面那几个歪歪扭扭的字——**职业摔跤股份有限公司**——显然是他写的。

棕熊专务董事把发愣的小靖从肩膀上放下来，

然后举起手臂，朝厂房里面喊道："总裁来了，全体员工出来欢迎！"

"哇！总裁来了！"

欢呼声四起，光着膀子的员工们从厂房里奔出来。小靖仔细一看，原来是青空商业街的哥哥们和叔叔们。他们穿着花短裤，高兴地比画着加油的手势。

嘿，原来大家都是职业摔跤爱好者啊。

"格雷特·靖总裁！"

"总裁来给我们加油了！"

员工们把小靖围了起来，这个拍拍他的肩膀，那个摸摸他的秃头。棕熊专务董事只好在前面开路，小靖跟在他身后。他们终于穿过人群，走进了厂房。

这时，厂房内号角齐鸣，接着又响起了令人热血沸腾的音乐，仿佛在为英雄出场助威。在耀眼的灯光下，小靖看到了他一直向往的擂台！

正当小靖痴迷地看着面前的擂台时，棕熊专务董事大摇大摆地走上擂台，对小靖做了一个"请"的手势："总裁，您请！"

"啊？我可以上去吗？"

"当然，请上来吧。"

"嗯。"

小靖激动得心脏怦怦直跳。他踏上擂台，感觉到坚硬厚实的垫子稍稍下陷，轻微晃动着。这种感觉真是太妙了！

小靖欣喜地在擂台上走来走去时，棕熊专务董事拿起话筒喊道："所有员工都在这里吗？有没有谁没来？"

围在擂台四周的员工们回应道："没有！"

棕熊专务董事把话筒递给小靖，说："那么，接下来就有请总裁为职业摔跤股份有限公司的开业

职业摔跤股份有限公司

致辞。"

"啊？我……致辞？"

"因为您是总裁。"棕熊专务董事边说边凑近小靖，"拜托您讲一些能点燃员工斗志的话。如果您让他们失望了，他们可是会胡闹的。"

员工们排列整齐，全都激动地仰望着紧握话筒的小靖。

小靖艰难地咽了一口唾沫，心想："我是真的做不到啊！在学校里，我只要一走到黑板前，脑袋就一片空白。"

就在小靖为难得快要哭出来时，他的脑海里忽然浮现出爸爸的脸庞。他想起了他们俩一起看比赛时，爸爸经常说的话。

"小靖，职业摔跤比赛并不仅仅是比赛双方身体的撞击……"

于是，下一秒钟高高的天花板下就回荡着小靖激昂的声音："职业摔跤比赛是——比赛双方灵魂的撞击！"

暴风雨般的欢呼声响彻云霄，把厂房都冲击得摇晃了一下。员工们举起手臂，跳起来齐声高呼："总裁！总裁！"

"格雷特·靖总裁不愧是公司的传奇。"棕熊专务董事的声音颤抖了一下，很快又恢复了正常，"言归正传，会议即将开始，请大家移步前往会议室。"

嗯，看来做总裁还挺忙。小靖努力摆出总裁的架势，心情也变得愉快起来。

他大摇大摆地走向会议室。

会议室的白板上，写着"出路——青空商业街会议"几个大字。

员工们坐在长长的会议桌两旁。总裁座位前本

应摆名签的地方放着闪闪发光的冠军腰带，腰带上印着"职业摔跤股份有限公司"几个字。小靖在柔软舒适的椅子上坐下后，会议就开始了。

小靖左手边坐着棕熊专务董事，右手边坐着蔬菜店的大介先生，这让他非常高兴。

大介先生第一个站起来发言，他高挺着结实的胸膛说："最近来青空商业街购物的顾客不断减少，街上的商店陆续关门，我们必须想办法改善这种状况。我们每天在这里举办职业摔跤比赛来招揽顾客，这个

主意怎么样？"

"哇，那太好了！"小靖欢呼起来。

大介先生看到小靖这么高兴，振臂摆了一个表示胜利的姿势，接着说："顾客在这里不仅可以观看比赛，还可以参加比赛。我们还可以开设儿童职业摔跤培训班，吸引全日本的职业摔跤爱好者组成亲子团前来体验，这就是我的'青空职业摔跤商业街计划'。"

小靖带头鼓掌，大家纷纷表示赞同并展开了讨论，会议室里的气氛愈加热烈。

"我们制造超酷的职业摔跤用品并大力推销吧。"

"由老年人组成的银发竞赛联盟肯定也很受欢迎。年纪大了也可以拿冠军！"

"总裁，请学校在体育课的教学内容中增加职业摔跤怎么样？"

"这个我也想过！"小靖情不自禁地把身子往桌

子前探了探。

员工们的眼睛都亮了起来。

这时，会议室里却响起一阵可怕的笑声，紧接着小靖身旁有人站了起来，把他笼罩在一个巨大的黑影中。

"呵呵，你们太天真了！仅仅靠这些是吸引不了客人的。"

热情高涨的员工们就像被当头泼了一盆冷水。

棕熊专务董事用锐利的目光扫视全场，说："普通的职业摔跤比赛有什么意思？顾客需要更刺激的比赛。"

他冷冷一笑，开始讲述他的恐怖计划。

"我们举办的比赛应该没有任何限制，选手犯规无所谓，顾客想一起胡闹也可以。不论谁使出什么卑劣手段都可以，只要能赢！这样的比赛才有看头。这就是我的'地狱职业摔跤商业街计划'。"

这简直就是个垃圾计划！

就在小靖皱起眉头的时候，大介先生站了起来。咚！会议桌被他砸出了一个洞。

"我反对！这个计划会让很多坏人聚集在商业街，这是绝对不行的！"

砰！会议桌被棕熊专务董事拍成了两半。

大介先生和棕熊专务董事额头抵额头，眼睛瞪眼睛，小靖夹在他们中间，抱着头不知所措。

员工们屏住呼吸，等待着总裁的决定。

该选哪个呢？

小靖纠结一阵子后宣布："你们俩来一场职业摔跤比赛，谁赢了我就选用谁的计划！"

话音落下，赞美声和欢呼声此起彼伏。

"不愧是格雷特·靖总裁啊！"

"职业摔跤股份有限公司万岁！"……

决定青空商业街未来的战斗终于开始了。大家围在擂台四周，忧心忡忡地观看这场至关重要的比赛。

棕熊专务董事走上擂台，粗鲁地扯掉自己身上的衣服，露出浑身隆起的肌肉。

一个身影倏地从空中划过，落在擂台的另一侧。是戴着白鹭面具的大介先生，好帅！

随着铜锣声响起，两人身体相撞，各施绝技，激烈地战斗起来。劈掌、踢腿、撞头、背摔……双方势均力敌，一时间难分胜负：即便"白鹭"攻势猛烈，"棕熊"依旧稳如磐石；就算"棕熊"全力困阻，"白鹭"也能敏捷避闪。

好精彩的比赛！

忽然，"白鹭"一脚踢向围绳，借力高高跃起，再疾速踢向"棕熊"，然后旋转身体踢向另一个方向的围绳，再跃起疾踢⋯⋯

"这就是'白鹭'的必杀技吗？"小靖高兴得跳了起来。但是⋯⋯

"⋯⋯咦？'棕熊'在笑！"

"棕熊"居然躲过了所有的空中疾速踢腿。

"呵呵呵，每个员工的必杀技我都知道，你们怎么可能赢得了我？"

"白鹭"满心不甘地降落在擂台四周的围绳上。没想到，支持"棕熊"的员工居然抓住了"白鹭"的靴子。

"太卑鄙了！"

"白鹭"察觉得太晚了，"棕熊"已经使出必杀

技猛地袭来。"白鹭"的身体被"棕熊"壮如树干的手臂击中后飞了出去，撞到围绳后反弹出擂台，重重地落在小靖面前。

裁判员开始倒计时，但"白鹭"最终没能站起来回到擂台上。

"大介先生！"小靖抱起大介先生，摘下他的面具，发现他脸色铁青。

"比赛结束！在刚才的比赛中获得胜利的是——棕熊专务董事！"

裁判员公布比赛结果后，支持棕熊专务董事的员工发出了欢呼声。

"这里终将变成地狱职业摔跤商业街吗？"小靖非常沮丧。

然而，这还不算完。紧接着，他听到了一件更荒唐的事情。

"接下来终于到了今天的重头戏。"

刚刚的比赛不是重头戏吗？

"那就是——选拔下一任职业摔跤股份有限公司总裁的比赛！蓝队挑战者——棕熊专务董事！"

聚光灯的强光猛地落在抱着胳膊的棕熊专务董事身上，他的支持者们兴奋极了，激动地敲打着椅子。

"红队守擂者——格雷特·靖总裁！"

小靖突然被强烈的灯光笼罩，光秃秃的头顶更亮了。支持棕熊专务董事的员工兴高采烈地把他抬起来扔到了擂台上。

"呜哇！"小靖慌忙用双手护住头，"我不当总裁了！我不是总裁，我只是个小孩子——你们看！"

小靖想把假发套拽下来，但是他无论怎么使劲都拽不下来。他气得火冒三丈。

支持小靖的员工们看到他的表情，兴奋地大喊：

"总裁终于发威了！"

"总裁是不会输给棕熊专务董事的！"

"一定要打败棕熊专务董事！"

棕熊专务董事听到回响在会场里的呐喊声，眼睛里燃起了火苗。

"总裁，你终于有干劲了。我一直在等这一天。我将战胜传奇人物格雷特·靖，彻底掌控职业摔跤股份有限公司！"

"嗷呜！"棕熊专务董事像野兽一样嚎叫起来。宣告比赛开始的铜锣声还没响起，他就已经朝小靖冲了过去。

"接招吧，棕熊暴击！"刚刚击飞"白鹭"的可怕手臂直逼小靖而来，还伴随着暴风雨般的轰鸣声。

小靖吓得倒吸一口气，跌坐在擂台上。他本来就身材矮小，又猛地坐下，结果棕熊专务董事的手臂一击落空，从他的头顶擦过。而且，由于冲得太猛，棕熊专务董事重重地摔倒在擂台上，疼得直翻白眼，差点儿晕厥。

"总裁！为了大家的幸福，你一定要取得胜利！"

小靖回头一看，是痛苦得脸都挤成了一团的大介先生在冲他大喊。

"大介先生，我做不到啊。"

棕熊专务董事这会儿已经缓过劲儿来了。

"我该怎么办呢？"

大介先生拼尽最后一点力气说道："要用棕熊专务董事不知道的必杀技……永远都不要放弃啊！"

大介先生被抬走了。小靖的身后响起了令人毛骨悚然的笑声。

"愚蠢的呆子！他怎么可能会我不知道的必杀技？"

棕熊专务董事眼看就要起身了，就在这时……

哈！

随着气吞山河的一声大吼，身材小巧的小靖一跃而起，落到了棕熊专务董事的肩膀上。紧接着，他用双手和双腿锁住棕熊专务董事的头，迅速翻滚起来。棕熊专务董事庞大的身躯也被迫跟着翻滚起来。

"这是什么招式？"大家惊讶不已。

"锁头章鱼卷！"小靖大声说。这是他今天早上才想出来的必杀技，还没告诉任何人。

棕熊专务董事的脖子被扯得嘎吱响。

"好疼……我认输！"

棕熊专务董事的面具脱落下来，掉在了垫子上。

"总裁赢了！"

"最终还是英雄赢了！"

"总裁！总裁！格雷特·靖！"

欢呼声四起。

裁判员为小靖系上了冠军腰带。此时的小靖光彩照人，比冠军腰带还要耀眼。

小靖低头看向倒在他脚边的棕熊专务董事，脸上突然血色尽失。

"爸爸？怎么是您？"

他蹲下身子。

小靖的爸爸用虚弱的声音说："非常抱歉！自从戴上棕熊面具，我越来越强壮，也越来越坏。请您原谅，总裁！"

"我不是总裁！我是小靖啊！爸爸，是我啊！"小靖的眼泪夺眶而出，扑簌扑簌地落在垫子上。

擂台四周鸦雀无声。

片刻之后，铜锣声响起，一声又一声……

随着最后一声落下，假发套从小靖的头上滑落，胡子和眼镜也都掉到了垫子上。

小靖擦干眼泪，却发现爸爸不见了踪影。

"咦，擂台没了？工厂呢？"

他环顾四周。没有什么工厂，没有什么擂台，他正站在他打开总裁套装袋子的长椅旁。

他看了看手里紧握着的名片。名片因为被眼泪打湿而变得皱巴巴的，上面的字迹也已经模糊不清。

"我不再是总裁了吗？"小靖自言自语，"那职业摔跤股份有限公司也一定不复存在了吧？"

他脚步沉重地回到家里，就像输掉了比赛的职业摔跤选手。不过，在看到爸爸像往常一样喝着啤酒看电视的那一刻，他终于放下心来。

太好了！那一切只是一场梦，真是太好了！他的眼泪差点儿又夺眶而出。

"小靖，青空商业街要举办职业摔跤比赛了。"

"真的吗？"

"听说为了让商业街恢复活力，蔬菜店的大介先生做了很多努力。"

"太好了！"

"真令人期待啊！据说无论谁都可以向摔跤选手挑战，我要不也去试试？"

好像那一切也不全是一场梦。

看到小靖兴致很高，爸爸拿出一样东西给他看，表情还有点儿调皮。

　　"商业街上有个矮矮胖胖、稀奇古怪的自动售卖机，我一不小心就在那里买了一样东西，你瞧！"爸爸说着就把那个东西戴到了脸上。

　　呜哇！你猜他戴的是哪个面具呢？

可爱动物
多奇妙帽子

好想回到那一天

奈绪家养了一只漂亮的猫。那是一只公猫，它的灰色短毛很美丽，会随着光线的变化泛起光芒，仿佛灰色下面隐藏着高雅的蓝色，而且摸起来手感绝佳，就像是品质极好的毛毯。它的眼睛，像晶莹剔透的绿宝石。

"家里有这么漂亮的猫，真幸福啊！"奈绪坐在沙发上抚摸着灰猫的后背，自言自语道。过了一会儿，她又叹了口气说："唉，要是跟我再亲近些就好了……

啊，你要走了吗？再让我好好摸一摸呀。"

灰猫无视奈绪的呼唤，自顾自地跳到角落里的小圆椅上，用碧绿色的眼睛凝视着奈绪。

它到底在想什么呢？

这只猫高傲至极。它叫"阿西莫夫"，与爸爸最喜欢的小说家同名。

爸爸给它起名时，还找奈绪商量过。

"你妈妈说用音乐大师柴可夫斯基的名字好，你觉得呢？"

"不行，柴可夫斯基太长了！妈妈是个怕麻烦的人，这个名字马上就会被她简化为'柴可'。"

"哈哈，有可能，很有可能。"

一旁的灰猫不知道自己差点儿就叫"柴可"了，正悠闲地舔着自己爪子上的肉垫。

"该练琴了。"奈绪坐到了钢琴前。

阿西莫夫从椅子上跳下来，摇了摇自己的长尾巴，飞快地逃离房间。

总是这样！它好像很讨厌钢琴的声音。

"啊，真无聊！"奈绪自言自语地说着，然后翻开乐谱，手指开始在黑白琴键上跳动。

钢琴培训班的老师是一位中年妇女，她很是严厉，奈绪只要稍有差错，就会被她用长长的教棍敲打手指，虽然她打得并不疼。

这天，上课的时候奈绪弹错了不少地方，她可怜的左手无名指被敲打了好多回。

我还是放弃练琴吧。奈绪心想。刚开始学钢琴的时候，她明明很快乐。

奈绪盯着自己左手的无名指，从上钢琴课的地方往家走。突然，她听到拐角处传来奇怪的歌声。

噼噼啪啪，噗噜噗噜，嗒啦嗒啦，轰轰轰——

"如果在钢琴班学习的是这种音乐，我应该会很开心吧？"

"欢迎光临！你的愿望是什么呢？能帮你实现愿望的火箭商店，现在开始营业！快点儿过来吧。"

奈绪循着吆喝声走过拐角，看到了一台奇怪的自动售卖机。自动售卖机也"看着"奈绪。它矮矮胖胖的，有两盏像眼睛一样的圆灯，样子十分有趣。

"它会不会卖一些好吃的零食，比如年糕小豆汤、红豆年糕团什么的？"奈绪开心地朝它走去。

钢琴名人护手霜、只赢不输手套、动听歌声果汁糖、高空气球泡泡糖、可爱动物多奇妙帽子、情绪安抚口罩、数学学霸眼镜、隐身苏打水！

自动售卖机卖的根本不是零食，而是一些稀奇古怪的东西。

"这些是什么？不可能吧？"

"没有什么不可能！"

奈绪吓了一跳。自动售卖机竟然回应了她！

噼噼啪啪，噗噜噗噜，嗒啦嗒啦，轰轰轰——

这奇怪的歌声让她更加纳闷了。

自动售卖机"眼"冒蓝光，又说道："本店商品都是你闻所未闻、见所未见的，而且都很便宜，样样只要五百元！"

看着能说会道的自动售卖机，奈绪有些讶异，但是并不害怕，她以前见过会说话的机器人。而且，比起自动售卖机本身，她更在意那些商品。她又观察了它们一番。

"情绪安抚口罩是什么？"

听到奈绪的问题后，自动售卖机认真为她解释："当有人朝你发火的时候，你只要戴上这个口罩，就能巧妙地安抚对方的情绪。"

"哦？我遇到今天这种钢琴弹得不好的情况就可以用它？"

"是的，这种情况就请交给它处理。"

"老师要敲打我的手指时，它管用吗？"

"你戴上这个口罩后，老师不仅不会敲打你的手指，还会温柔地抚摸它们。"

那它真是能帮上大忙，因为奈绪一不小心就会犯错：打碎盘子、把面包烤焦、往妈妈的乌冬面里放很多辣椒、把爸爸的衬衣当抹布用……

这个很适合我。她心想。

就在奈绪考虑要不要买情绪安抚口罩的时候，另一件商品又吸引了她的注意力。

"这个钢琴名人护手霜是专门给钢琴家用的护手霜吗？"

"不是的。"

"难道说……用了这个护手霜之后就会成为钢琴名人？"

"对！用了之后，任何曲子你都不会弹错，你再也不用担心会被老师敲打手指了。"

"哇！"

如果真的如此，我好想要！这件商品才是最适合我的！奈绪心想。

学校即将举办一场音乐会，她期望自己能代表班级登台演奏钢琴。

就在奈绪拿出钱包打算购买钢琴名人护手霜的时候，自动售卖机给她推荐了另一件商品。

"可爱动物多奇妙帽子，你要不要买一顶？戴上这顶帽子后，你就能听懂动物说的话了。"

"能听懂动物说的话？比如？"

"比如你能听到乌鸦骂人。"

"坏话？我可不想听。"

"你还能知道青蛙的想法呢。"

"我并不想知道。"

奈绪不断摇头。这时，自动售卖机说了一

句让她十分在意的话。

"这件商品特别适合养宠物的人。"

奈绪的脑海中一下子浮现出阿西莫夫在阳光下泛着光芒的毛。

"你的宠物好像总在思考些什么，对吧？"

阿西莫夫那家伙晚上经常出门散步，每次都在外面待很久才回家。它去哪儿了呢？

自动售卖机的灯发出绿色的光芒，这让奈绪想到了阿西莫夫美丽的碧绿色眼睛。

"它是怎样看待你这位主人的呢？"

奈绪捏着一枚五百元硬币，在钢琴名人护手霜和可爱动物多奇妙帽子之间犹豫不决。

是选择代表班级演奏钢琴，还是选择……？

丝绒般的猫叫声在奈绪的脑海中响起，她仿佛听见阿西莫夫在叫她"奈绪"。

"动物也能听懂戴这顶帽子的人说的话。这件商品特别适合有宠物的人。"

叮当！奈绪将硬币投进自动售卖机，并按下按键。紧接着，一件商品掉了出来。

"可爱动物多奇妙帽子是你的了。感谢你的惠顾。期待你下次光临。"

虽然不能代表班级登台演奏钢琴有点儿可惜，但是……

奈绪离开拐角处后，拿出了那件商品。

那是一顶茶色的帽子，有两只耳朵，看着像小熊的脑袋。帽子的面料很柔软，摸起来令人心情愉悦。

"好可爱！"奈绪把帽子戴在头上，大小正合适。

"笨蛋！"一个粗鲁又恼人的声音从高处传来。奈绪抬起头，只见一只乌鸦停在电线上俯视自己。

真的听到了！

"笨蛋！笨蛋！"

乌鸦真的在骂人！

好厉害！我能听懂乌鸦说的话了！奈绪边想边开心地摘下了帽子，她又只能听到乌鸦"哑哑"叫了。

奈绪一回到家，就迫不及待地喊："我回来了，阿西莫夫！"

她跑到客厅，看到阿西莫夫像往常一样悠闲地躺在沙发上。

"嘿嘿，稍等一下。"她激动地戴上了可爱动物多奇妙帽子。

阿西莫夫一脸疑惑地看着她。

"好，可以了，你快说点儿什么吧。"

阿西莫夫一声不吭。

好吧，仔细想想，它也不是只爱叫的猫。

奈绪坐到沙发上，慢慢地靠近阿西莫夫，然后一把抱住了它。她用脸颊蹭了蹭阿西莫夫长满灰色短毛的小脑袋，说道："阿西莫夫，我最喜欢你了！你觉得我怎么样？快告诉我吧。"

阿西莫夫瞪圆了双眼，看起来很吃惊，连身体都变得僵硬起来。

"不用那么吃惊吧？来，放松一下。"

奈绪摸了摸阿西莫夫的下巴，又戳了戳它软软的肉垫，然后把它抱起来，像荡秋千似的摇晃着它。

阿西莫夫还是满脸震惊的样子，一声都不肯叫。

奈绪摘下了帽子。

"为了买这顶帽子，我可是放弃了成为钢琴名人的机会呢。你倒是和我说几句话呀。"

"喵呜！喵喵！"阿西莫夫叫了起来。

"啊？你等一下！"

奈绪慌忙戴上帽子，可阿西莫夫已经气势汹汹地离开了房间，甚至直接离开了家。

"喂，你再说点儿什么呀！"

早知道就选择钢琴名人护手霜了。

晚饭后，奈绪打开了房间的窗户。夜空晴朗无云，凉风习习，月光皎洁，令人沉醉。庭院中的石头上有

一个小小的身影。是阿西莫夫。

它沐浴着皎洁的月光，身上的毛泛着淡淡的银色光芒。

"真漂亮啊！"奈绪不由得感叹道。

阿西莫夫的碧眼看向奈绪，在夜色中闪闪发光。然后，它"喵"地叫了一声。

"啊？说话了！"

奈绪急忙戴上帽子，这次阿西莫夫又叫了一声。

"那边。"

奈绪听懂了！

"阿西莫夫，我听懂了。那边有什么？"

阿西莫夫朝着高兴的奈绪摇了下尾巴，好像在邀请她似的，然后就迈步离开了。

"妈妈，我和阿西莫夫出去散步了。"

奈绪跟妈妈打过招呼后，匆匆忙忙出了家门。

一人一猫走在夜晚安静的道路上。

"你要去哪里？"奈绪问。可无论她怎么问，阿西莫夫都只说"那边"。她没办法，只好跟在它后面。

阿西莫夫的尾巴挺得跟桅杆一样直。

路过白天买帽子的那个拐角处时，奈绪发现那台自动售卖机已经不见了。

咦？它明明就在这里的呀！

奈绪东张西望，想找找自动售卖机，阿西莫夫却没有停下来等她。

那边有什么？

真遗憾！她还想买钢琴名人护手霜和情绪安抚口罩呢。

"喂，阿西莫夫，你到底要去哪里啊？要到很远的地方去吗？"

阿西莫夫终于在一座离家很远的小房子前停下了脚步。小房子的窗户只有一扇是打开的，里面亮着灯。

"这里。"

"你想带我来这里？为什么？"

阿西莫夫可爱的三角形耳朵微微动了一下，随后亮着灯的窗户里传来了悦耳的钢琴声。

奈绪第一次听到如此美妙的钢琴声，不由得屏住了呼吸。

一个个音符宛如闪闪发光的星星，不断飘落，飘进奈绪的耳中。

多么动听的曲子啊！

一曲终了，一滴眼泪从奈绪的脸颊滑落。

阿西莫夫竖着耳朵，闭着眼睛，一动不动，深深陶醉在优美的旋律之中。

奈绪问它："咦？你不是很讨厌钢琴声吗？"

阿西莫夫的嘴角微微上扬。它是在笑吗？

"我喜欢优美的钢琴声。"

"你是在说我弹钢琴弹得不好吗？快回答！"

"哈哈。"

奈绪生气地把帽子摘了下来，这时，一位温柔的老奶奶从窗户里探出头来。

"你来了呀，小猫咪。哎呀，今晚还带了一个小姑娘来呢。来，请进来吧。"

玄关的灯亮了。漂亮的木门打开后，阿西莫夫飞快地跑了进去。

"啊！等一下，阿西莫夫！"

老奶奶捂着嘴笑了。

"没关系，它经常来听我弹钢琴，是我非常重要的客人。"

"它经常来？"

"是的。原来它叫阿西莫夫呀，这是个非常好的名字！能知道它的名字真是太棒了。"

老奶奶看起来是个好人。

于是，奈绪问道："请问刚才那首优美动听的曲子叫什么？"

老奶奶很开心，她指着夜空中的明月说："叫《月光》，是德彪西创作的。"

奈绪抬头仰望月亮，心想：真是曲如其名啊！

听了老奶奶的演奏，奈绪更加希望自己钢琴弹得好了。

"请进吧。"

奈绪心跳加速，怀着激动的心情走进了这座漂亮的小房子。

奈绪很晚才回到家，爸爸妈妈很不高兴，但是当她说自己去了钢琴弹得很好的老奶奶家时，他们变得兴致勃勃。

奈绪告诉他们，老奶奶叫华娜，曾经是一位小学音乐教师。丈夫去世后，她一直独居。阿西莫夫经常去听她弹钢琴，这令她十分开心。

妈妈目不转睛地盯着阿西莫夫，困惑不解地问：

"猫会欣赏音乐吗？"

阿西莫夫摇了下尾巴，叫了起来："我喜欢德彪西、肖邦和贝多芬。"

妈妈只能听到"喵呜"声，但戴着可爱动物多奇妙帽子的奈绪听了以后却差点儿笑了出来。

奈绪又告诉爸爸妈妈，华娜奶奶为她弹奏了德彪西的《月光》，她非常喜欢。

"华娜奶奶的琴声就好像会发光一样，我也想弹得那么好。"

奈绪对华娜奶奶也这么说过，华娜奶奶听了非常高兴。

"而且，华娜奶奶在我身上施了能让我弹好钢琴的魔法……请看！"

奈绪亮出左手给爸爸妈妈看。她弹琴时，左手的无名指经常出错，总是被老师敲打。现在，那根手指的指甲上画了一朵粉红色的花。

爸爸妈妈伸长脖子端详了半天。

从第二天起，华娜奶奶施的魔法就生效了。

奈绪练习钢琴时，那朵粉红色的花似乎在一下一下点着头，可爱极了。奈绪一边注意它，一边弹钢琴，再也没出过错。

而且，奈绪还按照华娜奶奶教她的方法来弹奏。

"音乐就是一种语言，每一个音都是一个词语，每一个音都有它特定的强度、长度和高度，每一个音都非常重要。你弹着弹着就会发现，钢琴在向你倾诉心声。"

真的！钢琴就像在说话一样，奈绪听到了钢琴的心声！

有了这种感觉后，奈绪练琴时也很开心，仿佛回到了刚开始学钢琴的时候。

到了上钢琴课的日子，奈绪劲头十足地出门了。她将练习曲弹奏得分毫不差，连老师都有些惊讶，表扬了她："弹得很不错！"

奈绪猜到老师会这样说，但还是忍不住露出了笑容。这种愉悦的心情对她来说真是久违了。

奈绪回家后和妈妈聊了很久。吃完晚饭后，她说："我要去向华娜奶奶道谢。阿西莫夫，我们走吧！"

灰猫马上跳了起来。

一人一猫走在夜晚的道路上，呼吸时能看到白色的雾气。马上就要到圣诞节了。

"好冷，我们走快点儿！"阿西莫夫说。

"嗯。"

奈绪追赶着阿西莫夫，很快就到了华娜奶奶家。华娜奶奶正在家门口挂圣诞节的装饰。

"欢迎你们呀！今天我们一起弹奏跟圣诞节有关

的曲子吧！"

　　阿西莫夫一进门，就占据了火炉旁的座位。钢琴旁边的圣诞树虽然小小的，却枝繁叶茂，非常漂亮。

　　奈绪享用着可口的桂皮红茶和水果蛋糕，兴奋地描述了魔法产生的效果。

　　华娜奶奶微笑着说："那是因为你相信魔法，并且勤加练习了呀。"

　　"虽然钢琴老师说我弹得很不错，但我练琴的时候阿西莫夫还是听不下去，总是跑出去。"

　　"这么说来，它可真是一位严格的老师。"

　　阿西莫夫摆出一副无辜的样子。

　　奈绪有一肚子话想说，干脆把自己看到一台稀奇古怪的自动售卖机，买到可爱动物多奇妙帽子的奇遇也说了出来。

　　"多亏了这顶帽子，我才能跟着阿西莫夫来到这里呢。"

华娜奶奶听了大吃一惊。

"原来是这样。哎呀，这么说来……我要是戴上它是不是也能听懂阿西莫夫的话呢？"

华娜奶奶把帽子拿在手上，两眼放光。

"我爸爸妈妈戴着它也只能听到'喵呜'声，所以他们根本不相信我的话。"

"这么说来，只有购买者本人戴着它才能听懂动物的话吧。"

"您相信我吗？"

"当然。不过，有点儿遗憾，我如果也能听懂动物们说的话，那该有多好啊……"

奈绪看向阿西莫夫，

它正一边打哈欠，一边摇尾巴。

"但是，乌鸦净说骂人的话，附近的狗狗也没说什么好话，这真令人失望。前几天，我碰到一位胖叔叔带着一只贵宾犬散步，那只狗高傲地说：'我们是有钱人，院子大着呢！'真是嚣张！"

华娜奶奶哈哈大笑起来。

突然，她好像想起了什么重要的事情，表情严肃地说道："我一直想和我认识的一只动物交谈一次，奈绪，你能不能陪我一起去见它？我想请你做翻译。"

"翻译？"

"是的。我想请你告诉它我说了什么，然后告诉我它说了什么。"

"哇，我想试试！"

"它住在动物园里，所以时间定在下个周末怎么样？你先问问你爸爸妈妈同不同意吧。"

"就算他们不同意，我也会去的。"

华娜奶奶开心地笑了起来。接着，她弹奏了许多跟圣诞节有关的曲子。奈绪、华娜奶奶和阿西莫夫一起度过了一段欢乐的时光。

翻译动物说的话啊。

华娜奶奶想和什么动物说话呢?

回家的时候，夜空中挂满了星星，奈绪心潮澎湃。

"喵呜，喵呜！"

"嘘！还有两站路！"

"喵呜！"

"喂！尾巴不要露出来！"

电车抵达动物园站后，奈绪急匆匆地下了车。一出站，她就放下背包，拉开拉链。阿西莫夫从背包里跳出来，深深地吸了一口气。它的脸色不太好，在背包里待了这么久，可把它憋坏了。

奈绪戴上可爱动物多奇妙帽子，对阿西莫夫说：

"你没事吧？"

"奈绪！我讨厌你！"

"是你说要我带上你的。"

华娜奶奶指着面前的街道说："好

了好了，你们不要吵架了。快看，多漂亮呀！"

奈绪顺着华娜奶奶的手看过去："哇！真的好漂亮！"

阿西莫夫也转移了注意力，看着美景轻轻地摇尾巴。

他们宛如身处梦境一般。车站前的街道上到处都是红色、金色和银色的装饰，烘托出浓浓的圣诞节氛围。为了成为今天第一批入园的游客，他们一大早就出发了。这会儿时间还很早，街上的行人还很少，很多商铺还未开始营业。

他们穿过商铺林立的街道，然后穿过一个公园，公园里有一个大大的池塘。当走到公园的出口时，大家都气喘吁吁的。

终于看到动物园了。现在正好是开门的时间，游客似乎只有奈绪一行。

奈绪看了看悠然自得的阿西莫夫。

她一把抱起阿西莫夫，把它塞进背包。

"你要干什么？"阿西莫夫在包里挣扎。

"动物园不让猫进，你待在背包里不要动，一进去我就把你放出来。"

阿西莫夫听了，安静下来。

宠物入园大作战，开始！

华娜奶奶买了票，和奈绪一起来到了动物园的入口。奈绪紧张得屏住了呼吸，生怕背包里的阿西莫夫被发现了。好在工作人员检完票之后就放她们入园了，什么也没有发现。

奈绪一直走到工作人员看不到的地方才拉开背包的拉链。

阿西莫夫从背包里探出头，顿时被眼前的景象震撼到了，它还是第一次见到这么多种动物：羚羊、浣熊、猞猁、豚鼠、水豚、狐狸、天鹅……

戴着可爱动物多奇妙帽子的奈绪能听到各处传来的动物的说话声。

"来了个奇怪的人！"

"她背上也有脸！"

"是什么？是什么？"

"她背上的好像是猫脸。"

"那她是猫人吗？"

阿西莫夫从背包里跳了出来。

猿猴在假山上嬉闹；松鼠在树上上蹿下跳……到处都热热闹闹的。

动物园内树木林立，游客们仿佛漫步在森林之中。在这样的环境里邂逅各种动物，感觉很美妙。

华娜奶奶慢慢走着，她脸上挂着喜悦，又夹杂着点儿担心，仿佛是要去见一位分别已久的老友。

奈绪想到这是自己第一次当翻译，不由得心跳加速。

他们终于到达了目的地。这里是动物园里最开阔的地方，四周围着栅栏，栅栏里有一头大象。此刻，大象正悠闲地在冬日的暖阳下踱步。它已经上了年纪，皮肤皱巴巴的，比一般大象的皮肤颜色浅。这应该是一头白象。

看到栅栏上挂着的牌子上写着的名字——亚洲象汉娜，奈绪情不自禁地"啊"了一声。

站在奈绪身旁的华娜奶奶对着她扑哧一笑，心情很好地开口说道：

"我和它名字相似、年龄相仿，我们都是老奶奶啦，哈哈。"

华娜奶奶给奈绪讲了大象汉娜的故事。

汉娜出生在南方的一个国家，还是幼象的时候就来到了这个动物园。

它一来就成了动物园里的人气王，孩子们从四面八方赶来看它。

成年之后，它也一直深受孩子们的喜爱。但是，现在它年纪大了，行动不便，寿命也所剩无几……

"我一直想问一问它：'大象汉娜，你幸福吗？那么长的时间过去了，你都无法回到故乡，一直生活在这里。' ”

原来如此。

就在这时，奈绪脚边的阿西莫夫轻轻地叫了一声："来了。"

"华娜奶奶，大象往这边来了。机会来了！"

大象慢慢地、慢慢地靠近，胆小鬼阿西莫夫被它庞大的体形吓到了，直接爬上了附近的大树。

大象终于在华娜奶奶和奈绪两人面前停下了脚步，它用湿漉漉的眼睛看着她们，微微摇晃着消瘦的身体。

奈绪看着华娜奶奶，但华娜奶奶却陷入了沉默。

"华娜奶奶，您怎么了？再不问，它就要走开了。"

奈绪身边传来深深的叹息声。

"我还是问不出口啊……人类的自私让它不得不在这种地方度过一生。"

奈绪听着华娜奶奶的控诉，想象着大象汉娜在这里度过的孤零零的一生。

它是多么孤独啊。

就在奈绪凝视着大象汉娜的时候，汉娜轻轻地扬起褪色后变白的长鼻子，轻轻地叫了一声。

"你又来看我了呀。"

奈绪大吃一惊，把这句话传达给华娜奶奶。华娜奶奶脸色一变。

"小时候父母经常带我来，但那已经是很久以前的事情了。"

奈绪翻译了华娜奶奶的话，于是汉娜又温柔地叫了几声。

"我都记得呢。你爸爸妈妈牵着你的手，你还戴着有粉红色花朵的发带。"

华娜奶奶露出了孩童般天真的表情。

"嗯，是的。"她不停地点头，"那是我最幸福的时刻。谢谢你还记得！"

大滴大滴的眼泪从华娜奶奶脸上滑落。

"来看我的孩子们的事情，我全都记得。我一直在向神明祈祷，愿孩子们幸福！"

大象布满皱纹的小眼睛，也温柔地看着奈绪。

"好棒的帽子。你一定会幸福的！"

说完，它仿佛挥手般轻轻晃了晃鼻子，然后慢慢地往回走。

"阿西莫夫，可以了，你下来吧！"

灰猫松了一口气，从树上跳了下来。远处传来孩子们的说话声。

"哇，是汉娜！汉娜在那里呀！"

"真的好大啊！"

孩子们牵着大人的手，往这边走来。

无论是小孩，还是曾经身为小孩的大人，每个人的脸上都洋溢着幸福。

　　真是美好的一天。

　　坐在回家的电车上，奈绪依然沉浸在感动中。

华娜奶奶告诉她："听说白象是神的使者。"

　　"嗯，这一定是真的。对吧？阿西莫夫！"

　　"我肚子饿了！"

　　坐在对面的小男孩一脸不可思议地盯着奈绪的背包。

以上就是几位小朋友和能帮人实现愿望的自动

售卖机邂逅的故事。

　　大家觉得怎么样？

　　有可能就在明天，

在你所在的城市，

能帮人实现愿望的火箭商店会从天而降。

"能帮你实现愿望的火箭商店，感谢你的惠顾。期

待你下次光临！"

山口道

本书作者，生于日本兵库县，毕业于东京大学。作品曾获"星新一微型小说文学奖"。文学作品有《如果日本人都变成米粒》《7分钟7个令人毛骨悚然的小故事》《危险药物》（以上三部均由讲谈社出版），以及"野猫苏格拉底"系列（岩崎书店出版）等；词曲作品有《幸运之歌》《远方的天空》（在网上公开发布）。

高井喜和

本书绘者，生于日本大阪府，毕业于大阪艺术大学。设计了代表明治巧克力豆的"彩珠汪汪"和兵库县西宫市的吉祥物"宫探"等众多卡通形象。代表作品有"餐厅怪谈"系列（童心社出版）、"黑熊的故事"系列（公文出版社出版）等。作品曾在2001年、2003年、2006年和2011年的博洛尼亚国际插画展上展出。

玩一次不过瘾的话，你可以在两条横线之间添加连线，多玩几次！

动听歌声果汁糖

只赢不输手套

可爱动物多奇妙帽子

数学学霸眼镜

情绪安抚口罩

总裁套装

怎么样，你得到想要的商品了吗？

你想要哪件商品？

你想用那件商品做什么呢？

久留美

英作

小靖

奈绪

玲奈

棕熊董事

选择人物，拿到属于他的商品吧！

选择一个人物，从他旁边的圆点出发，沿着横线从右向左移动，遇到与横线相交的直线或曲线时即沿着该线移动至另一条横线，再继续向左移动，直至选到商品。注意，在横线上只能从右向左移动。

四格漫画剧场

会剧透哟！
请读完书中的故事再看！

可爱动物多奇妙帽子

叽叽喳喳

♪♪♪

声音真悦耳。

但它在说什么呢？

戴上可爱动物多奇妙帽子……

……我就能明白小鸟在说什么啦。

隔壁的大叔是秃头！

♪

Negai ga Kanau Jidôhambaiki – Janken Hisshô Tebukuro
Text copyright © 2021 by Tao Yamaguchi
Illustrations copyright © 2021 by Yoshikazu Takai
First published in Japan in 2021 by DOSHINSHA Publishing Co., Ltd., Tokyo
Simplified Chinese translation rights arranged with DOSHINSHA Publishing Co., Ltd.
through Japan Foreign-Rights Centre/Bardon Chinese Creative Agency Limited
Simplified Chinese edition © 2024 by Beijing Science and Technology Publishing Co., Ltd.
All rights reserved.

著作权合同登记号　图字：01-2023-4127

笨蛋！笨蛋！

图书在版编目（CIP）数据

只赢不输手套 /（日）山口道著；（日）高井喜和绘；吴鑑萍，邓汐雨译. —北京：北京科学技术出版社，2024.1（2024.4 重印）
（愿望售卖机）
ISBN 978-7-5714-3420-5

Ⅰ.①只… Ⅱ.①山… ②高… ③吴… ④邓… Ⅲ.①儿童小说 - 中篇小说 - 日本 - 现代 Ⅳ.① I313.84

中国国家版本馆 CIP 数据核字（2023）第 225344 号

策划编辑：	刘 璐　张心然　尚思婕	电　　话：	0086-10-66135495（总编室）
责任编辑：	吴佳慧		0086-10-66113227（发行部）
封面设计：	包荧莹	网　　址：	www.bkydw.cn
图文制作：	天露霖文化	印　　刷：	三河市华骏印务包装有限公司
责任印制：	吕 越	开　　本：	880 mm × 1230 mm　1/32
出 版 人：	曾庆宇	字　　数：	49千字
出版发行：	北京科学技术出版社	印　　张：	4.25
社　　址：	北京西直门南大街16号	版　　次：	2024年1月第1版
邮政编码：	100035	印　　次：	2024年4月第2次印刷
ISBN 978-7-5714-3420-5			

定　价：35.00元